광천한 사랑 정성이
항상 감사드립니다!

# GARBAGE TIME

DASAN COMICS

**매일매일 새로운 재미, 가장 가까운 즐거움을 만듭니다.**

한국을 대표하는 검색 포털 네이버의 작은 서비스 중 하나로 시작한 네이버웹툰은 기존 만화 시장의 창작과 소비 문화 전반을 혁신하고, 이전에 없었던 창작 생태계를 만들어왔습니다. 더욱 빠르게 재미있게 좌충우돌하며, 한국은 물론 전세계의 독자를 만나고자 2017년 5월, 네이버의 자회사로 독립하여 새로운 모험을 시작하였습니다.
앞으로도 혁신과 실험을 거듭하며 변화하는 트렌드에 발맞춘, 놀랍고 강력한 콘텐츠를 만들어내는 한편 전세계의 다양한 작가들과 독자들이 즐겁게 만날 수 있는 플랫폼으로 거듭나고자 합니다.

# 06

비지타임

그림 **2사장**

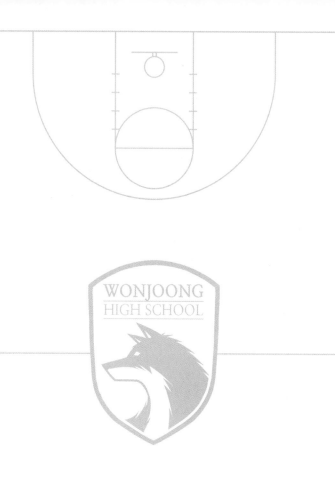

# CONTENTS

GARBAGE TIME

SEASON-2 7화

GARBAGE TIME

하,
진짜 개판이네.

니들 농구
엄청 편하게
하고 있는 거
알고는 있나?

내 중학교 때는
턴오버 하나 할 때마다
빠따 두 대씩 맞고
그랬는데…

진짜 니들
우리 중학교였으면…

마 시끄러바라.
역대 최연소 꼰대
납셨네.

헛소리 말고
몸 안 굳게
공이나 튀기고
있으래이.

예.

뭐야?

니들
지상고 X끼들이지?

신유고
유니폼…!

新有

지금 뭔가 오해가 있는 거 같은데…

니들 소문은 많이 들어서 잘 알고 있지.

아주 악명이 자자하던데?

긁을 수밖에 없긴 하지만

조형고 에이스를 담궜다는 얘기도 있고

원중고 경기에선 발을 집어넣은 것도 모자라서

수틀리면 자기 팀 코치까지 패버린다던데.

조형고 에이스를 다치게 했다는 소문은 전혀 사실이 아니에요!

?

내 XX에
키스나 하게
만들어줄게.

뭐라노
빙X 같은 게.

그럼 이따가

경기 때 보자고.

마, 뭘 그래
보고 있노?

아니…

점마가

아까부터
졸X 쳐다보는데?

와 씨…

엄청 높아…!

와 저거
크래이들 덩크
아니야?

마사장이
했던 거!

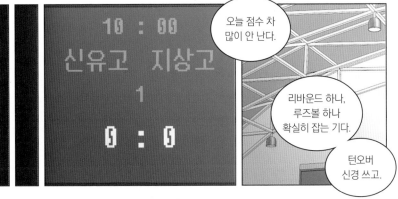

10 : 00

신유고    지상고

1

5 : 5

오늘 점수 차
많이 안 난다.

리바운드 하나,
루즈볼 하나
확실히 잡는 기다.

턴오버
신경 쓰고.

오케이?

예.

신유고가 항상
8강권 안에는 들 만큼
수준 있는 팀이긴
하지만

최근에는
그만큼 성적이
좋지는 않다.

내 말했던 거
기억나제?

신유고는

위험한 게
강인석
하나뿐이 없다.

그러니까
지레 겁먹지
마래이.

이길 수
있으니까.

오늘은 진짜

레알

진심

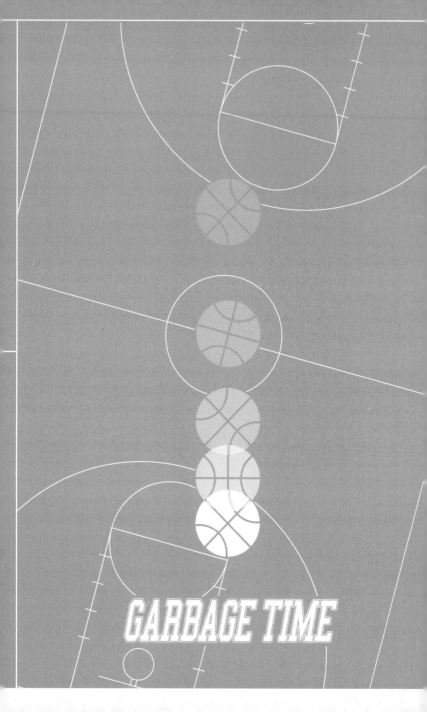

GARBAGE TIME

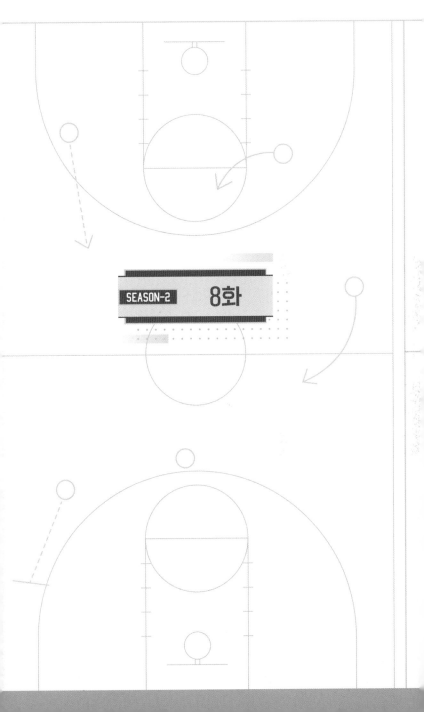

SEASON-2　　8화

GARBAGE TIME

오셨어요?

몇 대 몇이야?

7 대 9요.

신유고가
이기고 있는 거지?

네.

많이
늦은 줄 알았는데
방금 시작했나보네.

배가 아파서

아뇨 지금

2쿼터
하는 중인데.

08 : 34
신유고   지상고
2
9 : 7

뭐야?
점수가 왜 이렇게
안 났어?

이현성 이 X끼는
또 더블팀 안 가는
병이 도졌나

강인석을
7번 혼자
보게 놔두네.

근데 강인석은
점수도 못 내고 대체
뭘 하고 있는 거야?

강인석이 아직까지
필드골이 하나밖에
없네요.

......

지상고도
심각한데?

아무리
신유고 디펜스가
좋다지만 이 정도로
점수를 못 내다니.

운이
안 따르고 있다고
해야 하나….

오늘 31번 슛이
너무
안 터지더라고요.

JISANG

아!!!!!!!
진짜!!!!!!!!!

덕분에
신유고 수비가 엄청
밀집돼 있어요.

......

별로

앞에 던져놔!

그렇지!

단독 찬스!

재유 햄!

공 흘렸어!

잡아!

Time OUT

니들 지금
반 대항 농구 대회
하나?

재유!

예.

2쿼터에
9점이 뭐고 9점이.
수비 다 잘해놓고
이럴 기가?

점마들 수비가
밖에서 패스 돌린다고
흔들리는 수준이
아이라고.

예.

뭐를 하든
머뭇거리지 말고
한 템포 빠르게.
오케이?

예.

지금
수비는 괜찮거든?
공격만 더 빠릿빠릿하게
하자고.

예.

46

그거는
다은 햄 실력이
늘어서 그런 거
아이가?

쳇. 역시
그런 거였나.

묘하게
긴장감이
없단 말이지.

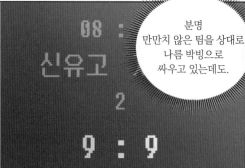

08 :

신유고

2

9 : 9

분명
만만치 않은 팀을 상대로
나름 박빙으로
싸우고 있는데도.

오늘도

어차피
똑같을 거라
생각하는 건가?

여기!

속공!

속공은 무슨…!

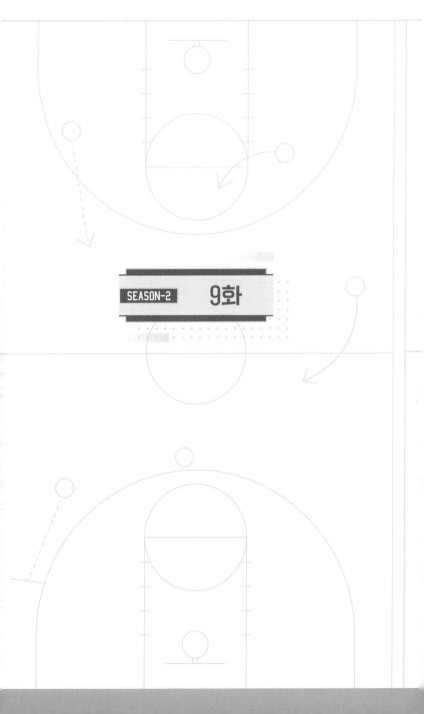

SEASON-2 9화

GARBAGE TIME

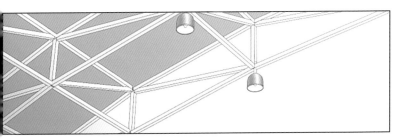

굿샷!

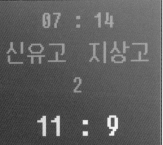

07 : 14

신유고  지상고

2

11 : 9

오,
간만에 하나
넣었네요.

강인석.

요즘은 조금 부진하긴 하다만, 역시 슛 터치 하나는 일품이라니까.

크~ 슛 되는 센터라니, 우리 학교 오면 딱인데.

꿈 깨셔. 쟤가 우리 학교를 오겠니?

게다가 강인석은 이미 상위권 대학들이 서로 데려가려고 작업 치고 있다는 소문이 파다해.

우리는

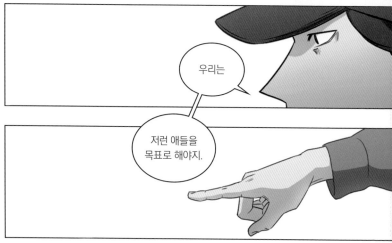

저런 애들을 목표로 해야지.

지상고
4번이요?

아니.

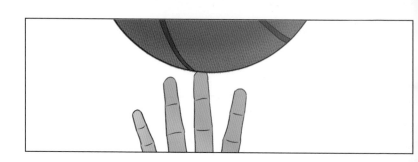

*플로터로 던진 건데…!

대체 얼마나 더 높여서 던져야 하는 거냐고!?

*블록을 피하기 위해 높은 각도로 던지는 슛.

아까부터 진짜

말도 안 되는
점프력이다…!

정말… 탄력이
어마어마하네요.

지금 고등부에서
블록슛 타점이
최고일 거 같아요.

탄력뿐만이
아니야.

수비할 땐
가장 먼저
백코트하고

신우 형님!

뒤에 있습니다!

속공 시에도
가장 먼저 트레일러로서
참여할 수 있는
지구력까지.

내가 봤을 때
7번 저 녀석은

포지션
불문하고

근 5년간 본
고등학생 중에

단연
최고의 운동 능력을
가지고 있어.

우,

뭐, 기술적으론
아직 많이
부족해 보이지만

가르치는
지도자 입장에선

저만큼
군침 도는
재료가 없지.

재유 햄! 괜찮다.

어차피 2점짜리니까….

7번 블록이 너무 높아서

내가 돌파해서 들어가긴 불안한데…

…어예 해야 되노…?

그럼 패턴을…

아, 아이다.

*수비자들끼리 서로의 매치업을 바꾸는 것.

쳇…!

이게 무슨…!?

내보다
20센치는 큰 놈이
사이드스텝이
이렇게 빠르다고!?

공태성한테 패스해야 되나?

미스매치니까…

아이다.

아무리 10센치 이상 차이 난다 해도 공태성이 안정적으로 득점할 수 있을지는…

역시 내가 직접 해결하는 게…

크윽…!

이 대 일이다!

오!

23번이랑
7번의 대결이에요!

혹시
23번이라면

태성 햄이라면…

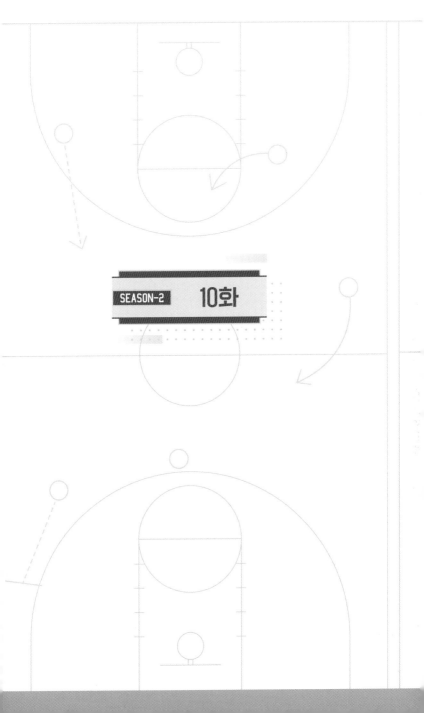

SEASON-2    10화

GARBAGE TIME

내 X알에
키스나 하게
만들어줄게.

와아아악!!!

하하하!

06 : 29

신유고 지상고

2

나이스~!

15 : 9

아즈아아앗!!!

아이 씨…

X나 시끄럽네 진짜.

뭐 할 때마다 꽥꽥…

야, 너.

방금 백코트 한 번 했다고

되게 힘들어 보인다?

난 오늘 샤워도 안 할 거 같은데.

저 X끼가….

워… 지상고 23번도 탄력이 엄청났던 거로 기억하는데

역시 7번한텐 안 되나보네요. 뛸 엄두도 안 난 모양이에요.

봐도 봐도 놀라운 점프란 말이지.

5~10키로 찌우면 대학에서도 무리하면 센터까지 볼 수 있겠고

굳이 증량하지 않아도 슛 레인지만 늘어나면 주력도 괜찮으니 장신 가드까지 가능할지도.

그나저나
지상고는…

정말…

협회장기 때랑
달라진 게 없네.

한 달 동안
대체 뭘 한 거냐?

현성아.

06 : 20

신유고   지상고

2

15 : 9

하…

할 수 있는 게
아무것도 없다고…!

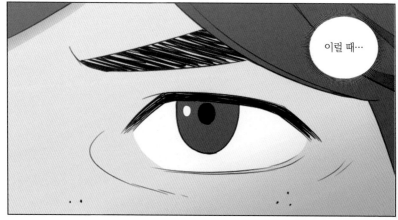

이럴 때…

그 녀석만
있었어도….

망할…!

진재유!

내가 너
뭐 하려고 하지
말라 했어 안 했어!?

안 되면 쟤한테
패스하라고
했잖아!

지금 턴오버
몇 개째 줄
알아!?

인터셉트!

아앗…!

31번 파울!

으악거리기는...

25!

25!

사이드라인
패턴이다!
정신 차려!

23
7
12

크윽!

앨리웁 패턴…?

으앗!?

06 : 11

유고 지상ㄱ

2

17 : 9

타임아웃이요

Time OUT

타임아웃!

야!
니가 웬일이냐!

방금
더블클러치 진짜
개 보록 터졌네!

닥치십쇼,
형님.

오늘 난생처음
두 자리 득점할 수
있겠는데!

……

점마는 좋겠네.

크고
잘 뛰는 거만으로도
내보다 훨씬
잘할 수 있어서.

내는 아무리
잔재주 부려봐도…

재유!

일로 와봐라.

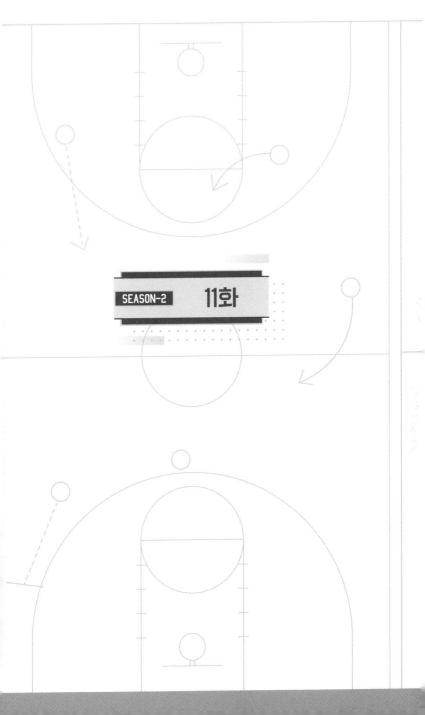

SEASON-2　11화

GARBAGE TIME

야! 태성아!

내가
사이드라인 패턴
나올 거니까
정신 차리라 했잖아!

지금 너 때문에
저 단순한 패턴에
하나 또 주는 거
아냐!?

~

~

4번 진재유….

지상고에는

저 녀석이 전부지.

4번이
직접 득점을 노리든
다른 루트를 선택하든 간에
지상고의 모든 공격은
결국 4번에서부터
파생된다.

'안전제일'.

공을 옮기는 역할에
충실한 클래식한
포인트가드다.

팀에서
가장 많은 득점을
올리는 것은 그저
팀원들의 득점 능력이
부족하기 때문.

애매한 상황에서는
직접 해결하기보단
패스를 우선시한다.

요약하자면

예전처럼

확실하게
마무리를 맡길 수 있는
에이스가 곁에 있었다면
더 효율적인
포인트가드였을 텐데.

애석하게도

지상고엔

그걸
해줄 수 있는 인물이
없는 거 같군.

재유!
내 아까
뭐라 했노?

머뭇거리지 말고
빠르게 결정하라고
했나 안 했나?

아까도
태성이한테 주든가
그냥 올라가든가
한 번에 해야지.

머뭇거리다가
타이밍 놓치고
뺏긴 거 아이가?

죄송합니다.

아니,
죄송할 게
아이고….

분명히 잘하는 녀석이긴 한데

경기하는 걸 보고 있으면 어딘가 답답하다는 느낌이 들어.

……

인마는 참…

……

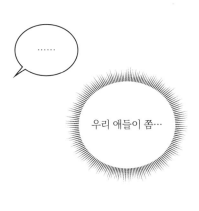

우리 애들이 쫌…

태성이는
또 어데 갔노?

피시방
갔을걸요?

주말에는
더럽게 부지런하네,
참.

희차이 빼고는
다들 운동부
답지 않게

조용한 감이
있긴 하다만…

재유는
그중에서도 유독
얌전한 느낌이지.

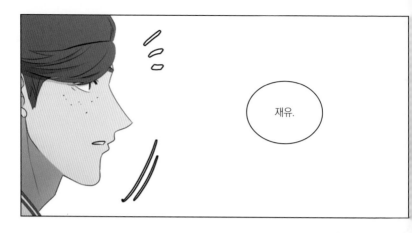

재유.

내도 다
이해한다고.

초보자들 데리고
만들어서 득점하기
쉽지 않은 거.

그나마 해주던 준수도
요즘 슛감이 메롱이라
더 답답한 거.

내도 뭐
해줄 말이 없다.

120

…이럴 때는

니가 모든 공격을
직접 마무리한다 해도
이상하지 않은
상황이라고.

지금 니 말고
득점해줄 수 있는 사람이
누가 있는데?

......

내 지금
딱 정해줄 테니까
이대로만 하래이.

아까처럼
슛할지 패스할지
고민되는 상황이라면

슛을 한다.

학교 농구부

어떤 플레이로
공격해야 할까?

라는 고민이
들 때면 그때는…

멋있는 거.

오케이?

…예.

세리머니
짜증 나게 해주는 거도
잊지 말고.

원중고-조재석이처럼

지상고
빨리 나오세요!

앗…!
벌써!?

아직
얘기할 거 다
못 했는데…!

태성이!
블록 쫌 뛰라!

예!

고등학교 농구부 승

7번 점마
자유투
별로니까는!

파울해도 괜찮다고!
아직 니 개인 파울도
없다 아이가!?

다은이 니는
마크 좀
놓치지 말고!

125

아이 씨…

타임아웃은
항상

시간이 부족한
느낌이다….

머뭇거리지
말고…

빠르게….

열렸다!

타임아웃 이후에
생각해낸 게 고작
이 대 이냐…

아니, 왜
패스 돌리는 거야?
찬스였는데…!

겁을 잔뜩
먹었구만.

앞선
수차례의
블록 때문에

창현이를
심하게
의식하고 있어.

마무리를
미룬다면

당장 공을
빼앗기진
않겠지만

공격 제한
시간은 줄어들고

누군가는 결국
시간에 쫓겨
무리한 슛을
던져야 돼.

GARBAGE TIME

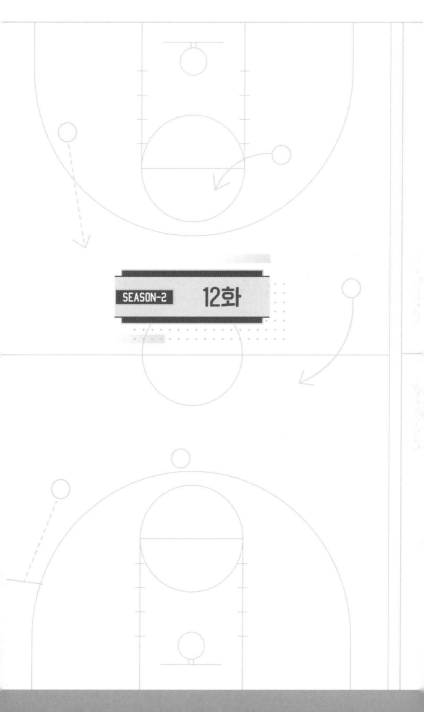

SEASON-2    12화

GARBAGE TIME

인터셉트!

여기!

!

백코트!

4번 스타트가
빨랐어!

속공!

138

하프라인부터
상대 골대까지

불과 몇 초의
시간 동안

수만 가지 생각들이
머리에 스친다.

내 뒤에
패스 줄 사람이
있나?

아무도.

전부 늦었거든.

아예 세워놓고
공격할까?

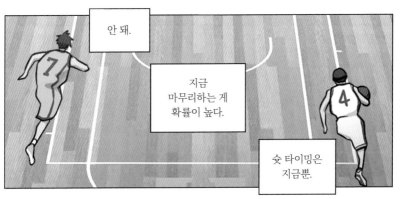

안 돼.

지금
마무리하는 게
확률이 높다.

숏 타이밍은
지금뿐.

그냥 빠르게
오른쪽으로
올려둘까?

아니면
스핀무브로 벗겨놓고
왼쪽으로?

그냥 올라갔다간
블록 당하지 않을까?

7번은
블록이 높다고.

그럼
스핀무브?

근데

안 속으면…?

그냥 올라가?

스핀무브?

그냥?

…스핀?

어떤 플레이로
공격해야 할까?

라는 고민이
들 때면

그때는

멋있는 거.

05 : 45
신유고 지상고
2
17 : 11

두리번

두리번

세리머니

짜증 나게
해주는 거도
잊지 말고.

149

스탑점퍼!

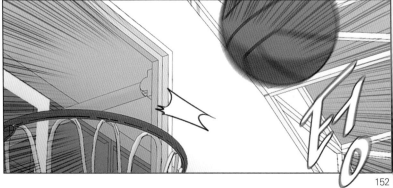

왜 그러는 거야,
진짜…!

…

12번 점마는
게임 시작부터 엄청
흥분해 있는
느낌인데….

할 수 있을 거
같기도.

뭐더라
저게….

저런 패턴이
있었나?

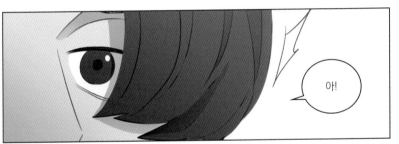

아!

태성 햄!

JISANG
23

일로 나와라!

저건…

병찬이 형이
했던…

아이솔레이션
싸인…?

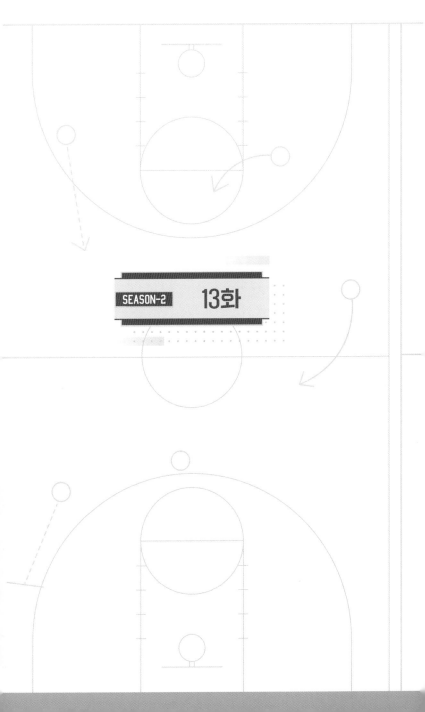

SEASON-2 13화

GARBAGE TIME

이젠 그냥
4번 GO인가?

어지간히 방법이
없는 모양이군. ㅇㅇ

12번은
조신우였나?

그럴걸요?

디펜스가 그리
헐렁한 녀석은
아니었던 거로
기억하는데.

이 자식
지금

나 깔보고
있는 거냐?

쳇…!

아무도 헬프 오지 마!

니들 마크나 잘 잡고 있어!

젠장…

숫 찬스다!

땡겨!

무시하지 말라고!

깔끔하다!

: 17

신유고    지상고

2

17 : 13

오케이!

와~
진재유 잘하네,
역시.

너한텐
버겁겠는데?

재유 햄,
나이스!

첫…!

170

똑같이 할 수
있다고!

뚫었다!

크윽!

미스!

백코트!

야!

작작 좀 해!
무리하지 말라고!

방금도
인석이 비었잖아!

12번은
돌파 한번 시작하면
패스를 빼주질 않네.

헬프 많이
들어오라고 해도
되겠는데.

......

이번엔
뭐로 공격하나….

재유!

일대일 더 해!

쿼터 끝날 때까지!

또 일대일이야!

하하.

우리끼리 약속된 것도 아닌데 말이죠.

저 엄지 싸인은 왜 자꾸 하는 걸까요? 그냥 해도 되는걸.

조형고 21번이 하던 게 그렇게 멋있었나?

·제 생각에는

'이 팀에는 나를 위한 플레이가 준비돼 있다.'

···라는 걸 보여주려는 의도가 아닐까 합니다.

작전타임 때
자세히 말해주지를
못해서 걱정했는데

내 예상이
맞다면은

내가
주문했던 것들이
무슨 의도였는지

178

정확히
이해하고 있다는
뜻이겠지.

기가 막히게
낮은 드리블이야!

역동작에
제대로 걸렸어!

에이씨…!

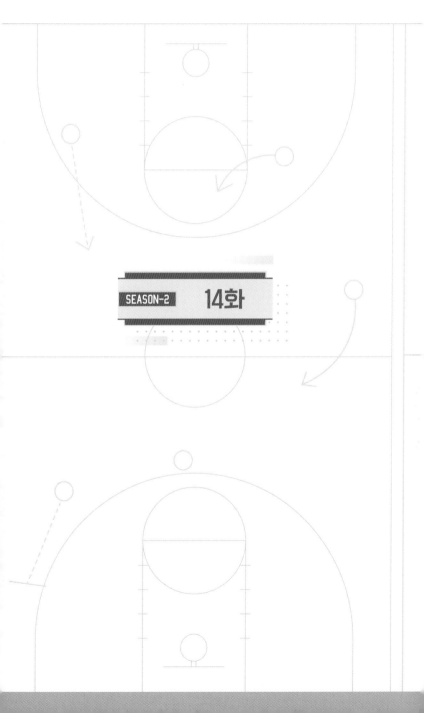

SEASON-2　14화

GARBAGE TIME

언제부터 농구가 그래
물렁한 스포츠였는데?

하루 종일
몸 부대끼고 있는
이상

신경전이
있는 게
당연하지.

JISANG

4

그러니까

세리머니로
점마들 약이
바짝 오르게
만들어주자고.

어차피
코트에 있는 거는
전부

감정 조절
안 되는
어린애들이니

에이씨…!

팀원들이
못 미덥나?

그라믄

떠다 먹여주면
되는 기라.

니한테

두 명이 오게
만들어서.

내가
니를 여태 너무
과소평가했던 거
같다.

일대일 능력도
없는 것들이…

애초에

니 성격에

니들이
농구 그래
잘하나!?

이길 수 없는
상대한테
일대일을 시도할 리가
없는데 말이지.

될 수
있으면은

멋진 플레이로
이목을 집중시키고

직접 많은
점수를 올려줘라.

이 팀에서
니가…

에이스라는 걸
각인시켜줘라.

4 : 57

고   지상

2

17 : 15

확실하게.

마지막 공격이다!
정신 차려!

온다!

더블팀을…!

또 빠져나왔어!

굿샷!

전반 종료다!

와…

5분여 만에 거의 혼자 힘으로

9점을 만들어서 경기를 뒤집었어요…!

햄!
와 그라노!?

아씨… 갑자기
현기증이…

속-매속거린다

……

벌써
지쳤나….

…아이다. 아무리
재유 체력이 좋다 해도
이게 당연하지.

오늘
속공 장면이 유난히
많았던 데다
2쿼터 후반엔 거의
일대일 위주로만
공격했으니….

…재유.

3쿼터부터는
잠깐 쉬자.

괜찮아질 때까지
잠깐 누워 있으래이.

빨리 회복되게

나머지는

상호한테
맡기고.

기상호.

옙!

뛸 준비됐제?

다들 일로 온나.

일단,

리딩은
희차이가 한다.

옙.

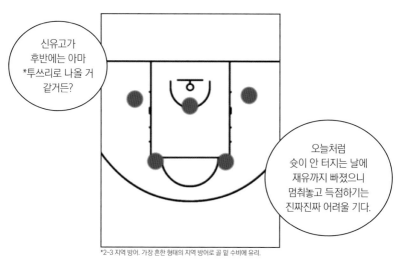

신유고가 후반에는 아마 *투쓰리로 나올 거 같거든?

오늘처럼 숫이 안 터지는 날에 재유까지 빠졌으니 멈춰놓고 득점하기는 진짜진짜 어려울 기다.

*2~3 지역 방어. 가장 흔한 형태의 지역 방어로 골 밑 수비에 유리.

입 벌리고 있어

재유 회복될 때까지는 시간 끌면서 하더라도 속공 찬스는 절대 놓치지 말라고. 오케이?

옙.

다음은 디펜스.

우린 후반에도 맨투맨이다.

오늘 점마들이
쫌 안 풀리는
모양인 거 같다만

7번 말고는 전반적으로
슈팅 능력이
있는 놈들이니까
끝까지 조심하자고.

특히
강인석이랑
12번.

단,

12번은

12번을 상대할 때는
공격적으로
스틸 시도해도 좋아.

옙.

상호가
마크한다.

상호 니도
알고 있제?

12번…

부자연스러울 정도로
혼자 플레이하고
있는 거.

…네.

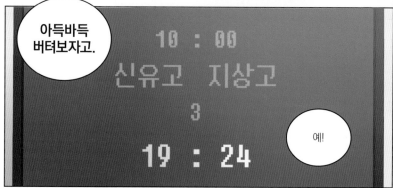

조신우가 3쿼터에도 그대로 나오네요?

전반에 계속 똥 싸서 교체될 줄 알았는데.

신유고엔 포인트가드 볼 줄 아는 애가 쟤밖에 없으니까 별수 없나보지.

교체 타이밍이 이르지 않나?

근데

지상고엔 6번이 나왔어.

4번이 오버페이스긴 했지만 나 같으면 하프타임만 잠깐 쉬게 하고 지쳐 쓰러질 때까지 뛰게 한 다음에 바꿨을 거야.

득점을 안 하겠다는 건가

6번…

조형고 박병찬을
혼자 상대한 녀석…

6번 앞에선 절대
무리한 일대일은
안 된다.

신우야.

……

숫이 안 된다니…

그렇게 생각할 만도 하죠.

여태껏…

친심으로 했던 적이 없으니까.

…뭐?

여태 진심으로 한 적이 없다고…?

그냥 헛소리 지껄이는 거야, 믿지 마 멍청아!

흠, 흠.

무튼…

당신들.

모쪼록…

오늘은 저를
즐겁게
만들어주시길….

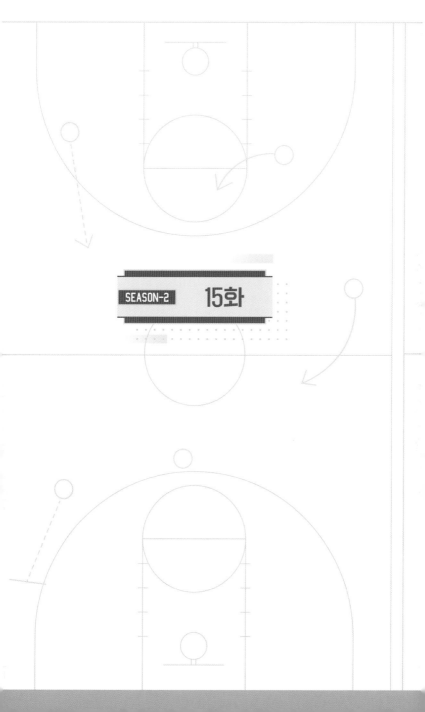

SEASON-2 15화

GARBAGE TIME

217

아…?

상호!?

노마크
일 수밖에 없
다!

시간 없다!

그냥
떤지라!

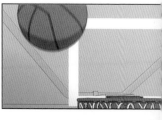

3점!

백코트!

웃!

아아— 방금 건
『진심 모드』
20퍼센트.

슬슬
『진심 모드』 40퍼센트를
꺼내야 하나….

니 진짜
그 짓거리
그만해라!

눈을
그래 하고
앞이 보이나!?

이젠 처음 보는 1학년짜리도 날 무시하는 거냐?

분명 소문대로 더러운 짓을 했겠지.

이딴 멍청한 녀석이 박병찬을 막았다고?

웃기지 말라고 해!

괜찮아.
방심했던 거
뿐이니까.

이번에는

…제대로!

풀업점퍼…!

땡겨!

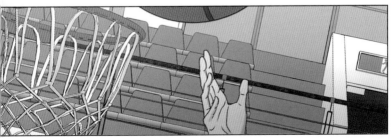

……

박병찬을
막아냈다는 게

거짓말이
아닌 건가…?

3연속
턴오버…!

속공!

신유고 백코트가
빨랐어!

상호!
기다리지
마래이!

지금 흐름
좋으니까…

그냥 3점
떤지라!

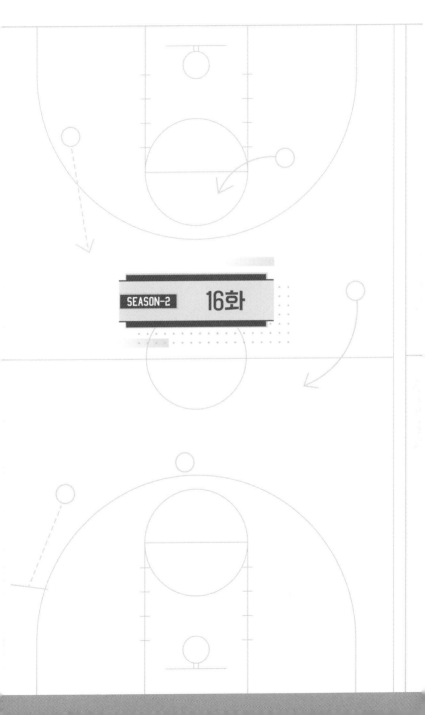

SEASON-2　　16화

GARBAGE TIME

…!?

어이어이!

인간의 몸으로 그 상태를 5분 이상 유지하는 건 위험하다고!

어서 폭주를 멈춰!

빨리빨리 들어와라 쯤.

이건 예상외인데…

점수를 지키는 게 고작일 거 같은 라인업으로

오히려 순식간에 점수 차를 벌려놨어.

확실히
프코트 상황에선
게 공격해야 하는지
막막했는데

감독님이
상호한테
스틸을 노리라고
했던 거는

이거
때문이었구나.

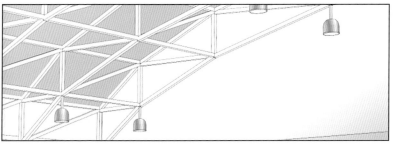

12번이
아까부터
강인석한테는
엔간하면 패스를
안 주더라고요.

꼭 필요한
대화가 아니면
말도 한번 안 섞고.

준수 햄이랑
태성 햄처럼

오른쪽

왜인지는 몰라도
사이가 안 좋은
모양이에요.

그래서 그 상황에
저를 지나가는 방향으로
*엔트리패스가 들어간다면

*주로 인사이드에 자리 잡은 빅맨에게 투입되는 패스를 뜻함.

7번 쪽이겠구나
했죠.

강인석이
아니라

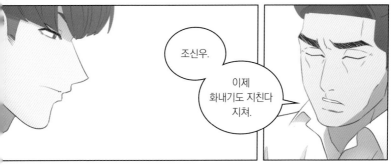

조신우.

이제
화내기도 지친다
지쳐.

시위하는 거라면
그만둬라.

너 하나
때문에

팀 전체가
피해를
보고 있어.

……

…그래.
그렇게 나오겠다
이거지?

나도
참을 만큼 참았다.

도윤이.

예!

교체 준비.

아무리
말씀하셔도
전 바뀌지 않아요.

저는
절대로…

인석이에 대한
소식을 알게 된 건

몇 달 전이었다.

야, 강인석!

나도 고민 많이
해본 거라고.

확실히
니 말대로
센터 포지션 경쟁은
힘들 테니까

몸무게를
10키로 정도 감량해서
*4번 자리를 노릴 거야.

*포지션을 지칭하는 번호(백넘버와는 무관): 1-포인트가드, 2-슈팅가드, 3-스몰포워드, 4-파워포워드, 5-센터.

난 이미
슛은 되니까
민첩성만 갖춰지면

2학년쯤엔
4번 자리에서
주전 먹을 수 있겠지!

오~ 그거
무슨 근거 없는
자신감이냐?

낄낄

이 X끼가.

하지만
이상하게도

인석이는
얼마 안 가
마음을 바꿨다.

생각해보니까
니 말이
맞는 거 같아.

서교대에 가는 게
주전 경쟁이
훨씬 쉽겠지.

시합을
많이 뛰어야
실력도 많이 늘 거고.

인석이는
그렇게 말했지만

진짜 이유는
다른 데에
있었다.

저
찾으셨어요?

어, 신우야.

여기 와서
앉아봐.

너한테
좋은 소식이
있어.

신우 너

서교대학교에
갈 수 있게 됐다.

너희 어머니랑도
얘기 다
끝내놨으니까

그렇게
알고 있어.

그제야 모든 게
이해가 됐다.

나는

'업둥이'구나.

# 가비지타임 6

**초판 1쇄 발행** 2023년 11월 15일
**초판 3쇄 발행** 2024년 5월 21일

**지은이** 2사장
**펴낸이** 김선식

**부사장** 김은영
**제품개발** 정예현, 윤세미  **디자인** 정예현
**웹툰/웹소설사업본부장** 김국현
**웹소설1팀** 최수아, 김현미, 심미리, 여인우, 장기호, 주소영, 주은영
**웹툰팀** 이주연, 김호애, 변지호, 안은주, 임지은, 조효진, 채수아, 최하은
**IP제품팀** 윤세미, 설민기, 신효정, 정예현, 정지혜
**디지털마케팅팀** 김국현, 김희정, 신혜인, 이소영
**디자인팀** 김선민, 김그린
**저작권팀** 한승빈, 윤제희, 이슬
**재무관리팀** 하미선, 김재경, 윤이경, 이보람, 임혜정  **제작관리팀** 이소현, 김소영, 김진경, 박예찬, 이지우, 최완규
**인사총무팀** 강미숙, 김혜진, 지석배, 황종원  **물류관리팀** 김형기, 김선민, 김선진, 전태연, 주정훈, 양문현, 이민운, 한유현
**외부스태프** 하마나(본문조판)

**펴낸곳** 다산북스  **출판등록** 2005년 12월 23일 제313-2005-00277호
**주소** 경기도 파주시 회동길 490
**전화** 02-704-1724  **팩스** 02-703-2219  **이메일** dasanbooks@dasanbooks.com
**홈페이지** www.dasan.group  **블로그** blog.naver.com/dasan_books
**종이** 아이피피  **출력·인쇄·제본** 상지사  **코팅·후가공** 제이오엘엔피

**ISBN** 979-11-306-4281-9 (04810)
**ISBN** 979-11-306-4300-7 (SET)